Un Ami, C'est Quelqu'un Qui T'aime

JOAN WALSH ANGLUND

Un

Ami,

C'est

Quelqu'un

Qui

T'aime

TRADUIT PAR ANNE CARTER

HARCOURT, BRACE & WORLD, INC., NEW YORK

pour Bob, Joy, et Todd

parce qu'ils m'ont aidée

Un ami, c'est quelqu'un qui t'aime.

C'est peut-être un garçon . . .

C'est peut-être une fille . . .

un chat . . .

un chien . . .

ou même une souris blanche.

Un arbre, cela peut être un ami
        d'un genre différent.
Il ne te parle pas, mais tu sais qu'il t'aime
parce qu'il t'offre ses pommes . . .
ses poires . . . ses cerises . . .
ou, parfois, une branche pour te balancer.

Un ruisseau peut être aussi un ami, mais
        d'une autre façon.
Il te parle gentiment par ses glouglous
        et son clapotis.
Il te laisse mettre les pieds
        dans son eau fraîche
et t'asseoir tranquillement près de lui
quand tu n'as pas envie de parler.

Le vent aussi peut être un ami.

Il chante pour toi la nuit de douces chansons

    quand tu as sommeil

    et que tu te sens seul.

Parfois il t'appelle pour venir jouer:

il te pousse en avant

quand tu marches et fait danser

    les feuilles mortes pour toi.

Il est toujours avec toi,

    où que tu ailles

    et c'est comme cela que tu sais

    qu'il t'aime.

Parfois tu ne sais pas
     qui sont tes amis.
Parfois ils sont là tout le temps,
mais tu passes à côté d'eux sans t'apercevoir
qu'ils t'aiment
     d'une façon spéciale.

Alors, tu t'imagines que tu n'as pas d'amis.

Mais il ne faut pas tant te presser
et te dépêcher . . .

Il faut marcher très lentement
et bien regarder autour de toi
si tu vois quelqu'un qui te sourit
d'une façon spéciale . . .
ou un chien qui remue la queue plus vite
quand tu es tout près . . .
ou un arbre qui se laisse
          grimper facilement . . .
ou un ruisseau qui te laisse rester
          tranquille près de lui
quand tu veux rester tranquille.
Quelquefois, c'est toi qui dois
          chercher un ami.

Il y a des gens qui ont beaucoup,
beaucoup d'amis . . .

et il y a des gens qui ont pas mal d'amis . .

mais tout le monde . . .
chacun de nous,
a, au moins, un ami.

Et toi, où as-tu trouvé le tien?